CHINESE FOR CHILDREN

儿 童 汉 语

第二册
Book 2

编著：刘 珣 张亚军 丁永寿
插图：李士伋 英译：张 耘

Compiled by: Liu Xun
Zhang Yajun
Ding Yongshou

Illustrated by: Li Shiji

Translated by: Zhang Yun

华 语 教 学 出 版 社 北 京

SINOLINGUA BEIJING

First Edition   1988

ISBN7-80052-013-7

0-8351-1906-8

Copyright 1988 by Sinolingua
Published by Sinolingua
24 Baiwanzhuang Road, Beijing, China
Distributed by China International Book Trading
Corporation (Guoji Shudian)
P.O. Box 399, Beijing, China

Printed in the People's Republic of China

致老师和家长们

　　《儿童汉语》是为学龄前的外国儿童学习汉语用的初级读本。

　　本套教材分为三册，每册二十课。第一册以语音为主，反复进行四声的基本功训练。第二、三册主要介绍汉语的一些基本句式，浅显易懂。每册后附辅导材料。

　　本套教材突出实用的原则，从儿童日常生活中最熟悉的事物入手，教给他们生活中使用最多的一些词汇，学会说一些简单的生活用语。

　　本套教材体现了较强的趣味性，选取儿童感兴趣的话题，反映儿童自己的生活，主人公是中国和外国的孩子，从内容上体现儿童的特点，如课文中有游戏、小孩"过家家"、小兔、小狗、孙悟空、做梦到月亮上去旅行等。

　　本套教材全部采用对话形式，并适当穿插一些谜语、儿歌、游戏、画画等，形式活泼引人，语言生动，图文并茂。

　　学完这三册书后，能掌握一些最基本的语言材料，为将来系统地、正规地学习汉语打下基础。

　　为了使您的孩子能准确地掌握发音，我们为本套教材配备了标准录音磁带。

编　者

一九八六年二月

To Teachers and Parents

Chinese for Children is an elementary textbook designed especially for the teaching of Chinese to children abroad of pre-school age.

There are three volumes in all, each consisting of twenty lessons. Volume I is aimed at teaching children Chinese pronunciation and the four tones by means of plenty of pronunciation drills; volumes II and III deal mainly with basic sentence patterns which are simple and easily understood by children. Each volume includes an appendix of teacher's notes.

This set of books takes a practical approach, presenting the children with words and phrases most useful in their every day life.

The topics chosen for each text are interesting to children because they focus on a child's world: it is children, Chinese and foreign, who speak in the text, and talk about children's games such as playing doctor, and tell stories such as the Monkey King and even of a journey to the moon in their dreams.

The texts are in the form of dialogue, enlivened with riddles, nursery rhymes, games and drawings. Its colourful language, together with a large number of illustrations, make this book most appealing to children.

After completing this set of books, children will have a basic knowledge of the Chinese language: pronunciation, a 340-character vocabulary, and some basic sentence patterns, thus laying a solid foundation for future study of the Chinese language.

To help your children pronounce Chinese correctly, we have also produced the cassette tapes to accompany the texts.

The Compilers.
February, 1986

Contents

1 　我叫冬冬

我叫冬冬。
My name is Dongdong.

Wǒ jiào Dōngdong.

　我六岁。
　I am six years old.

Wǒ liù suì.

她叫芳子。
Her name is Fangzi.

Tā jiào Fāngzǐ.

　她五岁。
　She is five.

Tā wǔ suì.

叫　　　to call
jiào

岁　　　year (of age)
suì

冬冬　*name of a person*
Dōngdong

芳子　*name of a person*
Fāngzǐ

六　　　six
liù

五　　　five
wǔ

Wǒ jiào Lánlan.   Tā jiào Díkè.

Wǒ liù suì.   Tā wǔ suì.

LOOK AND SAY

我叫_____。

我_____岁。

他叫_____。

他_____岁。

2　你几岁了

你叫什么名字？
What's your name?

　我叫玛丽。
　My name is Mary.

你几岁了？
How old are you?

　我七岁。你几岁了？
　I'm seven. How old are you?

我八岁。
I'm eight.

Nǐ jiào shénme míngzi?

　Wǒ jiào Mǎlì.

Nǐ jǐ suì le?

　Wǒ qī suì. Nǐ jǐ suì le?

Wǒ bā suì.

名字 míngzi	name	七 qī	seven
玛丽 Mǎlì	*name of a person*	八 bā	eight
几 jǐ	how many		

Nǐ jiào shénme míngzi?　　Tā jiào shénme míngzi?

　Wǒ jiào Dōngdong.　　　　Tā jiào Mǎlì.

Nǐ jǐ suì le?　　　　　　Tā jǐ suì le?

　Wǒ liù suì.　　　　　　　Tā qī suì.

LOOK AND SAY

你叫什么名字？

_____。

你几岁了？

_____。

_____？

我叫Di ke。

_____？

我五岁。

3 你是哪国人

你是哪国人？
Which country do you come from?

Nǐ shì nǎ guó rén?

我是中国人。
I'm Chinese.

Wǒ shì Zhōngguórén.

她也是中国人吗？
Is she Chinese, too?

Tā yě shì Zhōngguórén ma?

不，她是日本人。
No, she is Japanese.

Bù, tā shì Rìběnrén.

哪 which, what
nǎ

国 country
guó

人 person
rén

也 also, too
yě

日本 Japan
Rìběn

中国人 Chinese
Zhōngguórén

日本人 Japanese
Rìběnrén

Nǐ shì nǎ guó rén?

    Wǒ shì Fǎguórén (French).

Nǐ jiào shénme míngzi?

    Wǒ jiào Ānnà.

Nǐ jǐ suì le?

    Wǒ liù suì.

Tā shì nǎ guó rén?

    Tā shì Měiguórén (American).

Tā yě shì Měiguórén ma?

    Bù, tā shì Yīngguórén (British).

LOOK AND SAY

_____?

我是Tàiguó人 (Thailander)。

_____?

她是Jiānádà人 (Canadian)。

_____?

他是Àodàlìyà人 (Australian)。

_____?

我们是Déguó人 (German)。

4　她是谁

她是谁？
Who is she?

她是我妈妈。
She's my mother.

他是我爸爸。
He's my father.

阿姨好！伯伯好！
Hello auntie! Hello uncle!

你好！
Hello!

Tā shì shuí?

Tā shì wǒ māma.

Tā shì wǒ bàba.

Āyí hǎo! Bóbo hǎo!

Nǐ hǎo!

谁　who
shuí

阿姨　auntie
āyí

爸爸　father
bàba

伯伯　uncle
bóbo

READ ALOUD

Tā shì shuí?

 Tā shì Mǎlì.

Mǎlì shì nǎ guó rén?

 Mǎlì shì Měiguórén (American).

Tā jǐ suì le?

 Tā qī suì.

Zhè shì wǒ dìdi. Zhè shì Mǎlì.

 Nǐ hǎo, Mǎlì!

 Nǐ hǎo!

LOOK AND SAY

她是谁？

———————。

她是哪国人？

———————。

这是____。

这是____。

———————！

———————！

这是谁？

———————。

5 我们拍皮球, 好吗

玛丽, 你来!
Come here, Mary!

Mǎlì, nǐ lái!

我们拍皮球, 好吗?
Shall we bounce the ball?

Wǒmen pāi píqiú, hǎo ma?

好, 你先拍。
All right. You play first.

Hǎo, nǐ xiān pāi.

一、二、三、四、五、
One, two, three, four, five,

Yī, èr, sān, sì, wǔ,

六、七、八、九、十。
six, seven, eight, nine, ten.

liù, qī, bā, jiǔ, shí.

来 lái	to come	一 yī	one	四 sì	four
拍 pāi	to bounce	二 èr	two	九 jiǔ	nine
先 xiān	first	三 sān	three	十 shí	ten

READ ALOUD

Tā shì shuí?

Tā shì wǒ dìdi.

Tā shì nǐ mèimei ma?

Tā shì wǒ mèimei.

Wǒmen pāi píqiú, hǎo ma?

Bù, wǒmen zuò yóuxì.

Hǎo.

LOOK AND SAY

 我们____,
好吗？

____。

 我们____,
好吗？

____。

 我们____,
好吗？

____。

 我们____,
好吗？

____。

COUNT THE CHICKS AND DUCKLINGS

DRAW A LINE THROUGH THE DOTS FROM ONE TO SEVEN AND SEE WHAT CHARACTER IT IS

一· ·四   一· ·四   一·
二·   二·   三· ·四
      ·七   ·七   ·七
三·   ·五·六   三· ·五·六   二· 五·六

一→二→三   一→二→三   一→二
四→五→六→七   一→四→五→六→七   三→四→五→六→七

PUT IN THE MISSING CHARACTERS

他____冬冬。   他是中国____。   他____岁。

11

6   几点了

妈妈早!
Good morning, Mummy!

Māma zǎo!

几点了?
What time is it?

Jǐ diǎn le?

　七点了。
　Seven.

Qī diǎn le.

　冬冬快起床!
　Get up quickly, Dongdong!

Dōngdong kuài qǐchuáng!

早   morning, early
zǎo

快   quick, fast
kuài

点   o'clock
diǎn

起床   get up
qǐchuáng

12

Jǐ diǎn le?

   Bā diǎn le, dìdi kuài qǐchuáng!

Jǐ diǎn le, māma?

   Jiǔ diǎn duō (past nine) le, Fāngzǐ kuài shuìjiào!

Jǐ diǎn le?

   Kuài wǔ diǎn (nearly five) le, wǒmen pāi píqiú, hǎo ma?

Hǎo.

LOOK AND SAY

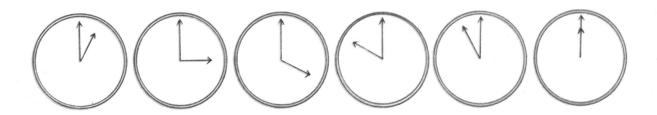

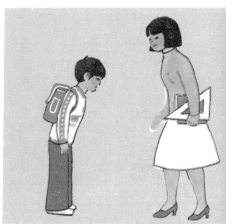

玛丽早!

————!   ————!   ————!

13

7 你真懒

你几点起床？
When do you get up?

我七点半起床，你呢？
I get up at half past seven, what about you?

我九点起床。
I get up at nine.

你真懒。
You are very lazy.

Nǐ jǐ diǎn qǐchuáng?

Wǒ qī diǎn bàn qǐchuáng, nǐ ne?

Wǒ jiǔ diǎn qǐchuáng.

Nǐ zhēn lǎn.

半   half
bàn

真   very, really
zhēn

呢   What about...?
...ne

懒   lazy
lǎn

READ ALOUD

Nǐ jǐ diǎn qǐchuáng?

Wǒ liù diǎn qǐchuáng.

Nǐ zhēn zǎo.

Nǐ jǐ diǎn shuìjiào?

Wǒ qī diǎn bàn shuìjiào.

Nǐ zhēn lǎn.

Nǐ jǐ diǎn shuìjiào?

Jiǔ diǎn.

LOOK AND SAY

你几点起床？

_____。

_____ 拍皮球？

_____。

_____ 学汉语？

_____。

_____ 睡觉？

_____。

8 你的生日是几月几日

今天是几号？
What date is it today?

Jīntiān shì jǐ hào?

今天是二月十五号。
It's February 15th.

Jīntiān shì Èryuè shíwǔ hào.

你的生日是几月几号？
What day is your birthday？

Nǐde shēngri shì jǐ yuè jǐ hào?

我的生日是四月二号。
It's April 2nd.

Wǒde shēngri shì Sìyuè
èrhào.

你的生日呢？
What about yours？

Nǐde shēngri ne?

我的生日是八月二十七号。
My birthday is August 27th.

Wǒde shēngri shì Bāyuè
èrshíqī hào.

| 今天 today | 月 month |
| jīntiān | yuè |

| 号 day of the month | 生日 birthday |
| hào | shēngri |

Gēge kuài qǐchuáng!

Jǐ diǎn le?

Wǔ diǎn duō le.

Jīntiān nǐ zhēn zǎo.

Jīntiān shì wǒde shēngri.

Jīntiān shì jǐ hào?

Jīntiān shì Liùyuè èrhào.

Zhù (wish) nǐ shēngri hǎo!

Xièxie.

LOOK AND SAY

今天是几号？　　　今天是二月三号。　　　今天是爸爸的生日。

9 今天是星期几

今天是星期几？
What day of the week is it today?

Jīntiān shì xīngqī jǐ?

今天是星期三。
It's Wednesday.

Jīntiān shì Xīngqīsān.

你去学校吗？
Are you going to school?

Nǐ qù xuéxiào ma?

我去学校。
Yes, I am.

Wǒ qù xuéxiào.

今天有什么课？
What classes do you have today?

Jīntiān yǒu shénme kè?

今天有算术,有汉语。
We have arithmetic and Chinese.

Jīntiān yǒu suànshù, yǒu Hànyǔ.

星期 week	学校 school	课 class, lesson
xīngqī	xuéxiào	kè
去 to go		算术 arithmetic
qù		suànshù

Jīntiān shì Xīngqīyī ma?

Jīntiān bú shì Xīngqīyī.

Jīntiān shì Xīngqī jǐ?

Jīntiān shì Xīngqī'èr.

Jīntiān shì jǐ hào?

Jīntiān shì Shí'èryuè shísì hào.

Jīntiān yǒu shénme kè?

Jīntiān yǒu suànshù, yīnyuè (music), Hànyǔ.

LOOK AND SAY

今天是__月__号, 星期__。

1986 四月 1 星期二	1986 六月 4 星期三	1986 八月 21 星期四
1986 九月 19 星期五	1987 十一月 2 星期一	1987 十月 31 星期六
1987 十二月 13 星期日		

10 我的书包在哪儿

这是谁的书包？
Whose satchel is this?

Zhè shì shuíde shūbāo?

是哥哥的书包。
It's your big brother's.

Shì gēgede shūbāo.

妈妈，我的书包在哪儿？
Where is my satchel, mum?

Māma, wǒde shūbāo zài nǎr?

在这儿。
It's here.

Zài zhèr.

我的《儿童汉语》呢？
Where is my "CHINESE FOR CHILDREN"?

Wǒde «ÉRTÓNG HÀNYǓ» ne?

在那儿。
It's over there.

Zài nàr.

哪儿 where
nǎr

儿童 children
értóng

这儿 here
zhèr

在 to be (at a place)
zài

那儿 there
nàr

20

READ ALOUD

Jīntiān shì Xīngqīsì ma?

Jīntiān shì Xīngqīsì.

Jīntiān yǒu tǐyù (physical education) kè.

Wǒde xié zài nǎr?

Zài zhèr.

Zhè bú shì wǒde xié.

Zhè shì shuíde xié?

Zhè shì jiějiede xié.

Wǒde xié zài nàr.

LOOK AND SAY

____在哪儿?

我的书 芳子

爸爸 迪克的自行车

PUT THE HANDS OF THE CLOCK AND SAY AT WHAT TIME YOU DO THESE THINGS

READ ALOUD

Zhè shì wǒde xiǎowáwa,
 dà yǎnjing, xiǎo zuǐba (mouth),
 māma bào (carry in the arms) wǒ, wǒ
bào tā.
Wǒ shì wáwade hǎo māma,
yě shì māmade hǎo wáwa.

PUT IN THE MISSING CHARACTERS

1987
五月 **12** 星期二

今天是__月__日,
今天是星期__。
冬冬____汉语课,他要____学校。
他六__起床,他真__。

11   快来吃饭

冬冬, 快来吃饭。
Dongdong, come and have
breakfast quickly.

Dōngdong, kuài lái chīfàn.

今天吃什么？
What are we going to have today?

Jīntiān chī shénme?

牛奶、面包和鸡蛋。
Milk, bread and eggs.

Niúnǎi, miànbāo hé jīdàn.

鸡蛋在哪儿？
Where are the eggs?

Jīdàn zài nǎr?

在那儿。
Over there.

Zài nàr.

我吃一个苹果, 好吗？
Shall I have an apple?

Wǒ chī yí ge píngguǒ,
hǎo ma?

好。
Yes.

Hǎo.

吃   to eat
chī

鸡蛋   egg
jīdàn

个   *a measure word*
gè

牛奶   milk
niúnǎi

和   and
hé

23

READ ALOUD

Jǐ diǎn le?

    Yì diǎn duō le.

Wǒ è (hungry) le.

    Kuài lái chīfàn.

Jīntiān chī shénme?

    Jīdàn, mántou (steamed bun) hé zhōu.

Wǒ bú yào mántou, wǒ chī yí ge miànbāo, hǎo ma?

    Jīntiān méi yǒu miànbāo.

Zhè shì wǒde kuàizi ma?

    Zhè bú shì nǐde kuàizi, nǐde kuàizi zài nàr.

LOOK AND SAY

今天吃什么?   _____。

12 你冷吗

下雪了, 今天真冷。
It's snowing.
It's very cold today.

Xià xuě le, jīntiān zhēn lěng.

冬冬, 你冷吗?
Dongdong, do you feel cold?

Dōngdong, nǐ lěng ma?

我不冷, 我穿了两件毛衣。
No, I don't. I have put on two woollen sweaters.

Wǒ bù lěng, wǒ chuānle liǎng jiàn máoyī.

两点了, 你快去学校。
It's two o'clock already.
You must hurry to school.

Liǎng diǎn le, nǐ kuài qù xuéxiào.

妈妈再见!
Good-bye mum!

Māma zàijiàn!

冷 cold
lěng

两 two
liǎng

毛衣 woollen sweater
máoyī

穿 to wear
chuān

件 measure word
jiàn

Māma, jīntiān lěng ma?

Jīntiān bù lěng.

Xià xuě le ma?

Méiyou xià xuě.

Jīntiān zhēn nuǎnhuo (warm).

Jīntiān zhēn rè (hot). Nǐ rè ma?

Wǒ bú rè, wǒ chuānle yí jiàn yīfu.

LOOK AND SAY

今天真＿＿。

我吃了＿＿。

 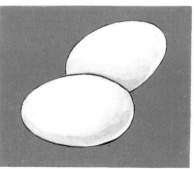 

13 你会游泳吗

你会游泳吗?
Can you swim?

Nǐ huì yóuyǒng ma?

我会游泳。
Yes, I can.

Wǒ huì yóuyǒng.

你也会滑冰吗?
Can you skate, too?

Nǐ yě huì huábīng ma?

我不会滑冰,我想学滑冰。
No, I can't. I want to learn to skate.

Wǒ bú huì huábīng, wǒ xiǎng xué huábīng.

你教我,好吗?
Will you teach me?

Nǐ jiāo wǒ, hǎo ma?

好。
Yes, I will.

Hǎo.

会 can
huì

滑冰 to skate
huábīng

想 to want, to think
xiǎng

游泳 to swim
yóuyǒng

教 to teach
jiāo

Wǒmen qù huábīng, hǎo ma?

Jīntiān zhēn lěng, wǒ bù xiǎng huábīng.

Nǐ huì dǎ (play) pīngpāngqiú (pingpong) ma?

Wǒ bú huì.

Nǐ huì Zhōngguó wǔshù (wushu) ma?

Wǒ huì. Nǐ xiǎng xué ma?

Wǒ xiǎng xué, nǐ jiāo wǒ, hǎo ma?

Hǎo, Xīngqīrì nǐ lái zhèr.

LOOK AND SAY

你会＿＿?   你想＿＿?   ＿＿＿好吗?

14 这支笔不是我的

你会写汉字吗？

Can you write Chinese characters?

Nǐ huì xiě Hànzì ma?

我会。

Yes, I can.

Wǒ huì.

这支笔是你的吗？

Is this pen yours?

Zhè zhī bǐ shì nǐde ma?

这支笔不是我的，是她的。

No, it isn't mine. It's hers.

Zhè zhī bǐ bú shì wǒde, shì tāde.

你的笔是红的吗？

Is your pen red?

Nǐde bǐ shì hóngde ma?

我的笔不是红的，是黑的。

No, my pen isn't red. It is black.

Wǒde bǐ bú shì hóngde, shì hēide.

写 to write
xiě

支 *measure word*
zhī

红 red
hóng

汉字 Chinese character
Hànzì

笔 pen
bǐ

黑 black
hēi

Zhè zhī bǐ shì Mǎlì de ma?
  Zhè zhī bǐ bú shì Mǎlì de.
  Mǎlì yǒu liǎng zhī bǐ:
  Yì zhī shì hóngde, yì zhī shì lán (blue) de.

Wǒde máoyī zài nǎr?
  Zhè jiàn máoyī bú shì nǐde ma?
Bú shì wǒde.Wǒde máoyī shì hóngde.
Nǐ kàn, wǒde máoyī zài nàr.

LOOK AND SAY

这个＿是＿的。

15 小白兔在吃草呢

你在做什么呢？
What are you doing?

我在画小白兔呢。
I'm drawing a little white rabbit

小白兔在做什么呢？
What is the little white rabbit doing?

小白兔在吃草呢。
It is eating the grass.

你看：小白兔是白的，
眼睛是红的，
草是绿的。
Look, the rabbit is white.
Its eyes are red.
The grass is green.

Nǐ zài zuò shénme ne?

Wǒ zài huà xiǎobáitù ne.

Xiǎobáitù zài zuò shénme ne?

Xiǎobáitù zài chī cǎo ne.

Nǐ kàn: Xiǎobáitù shì báide,
yǎnjing shì hóngde,
cǎo shì lǜde.

小 xiǎo	little, small	兔 tù	rabbit	画 huà	to draw, to paint
白 bái	white	做 zuò	to do	绿 lǜ	green

READ ALOUD

Wèi (Hello), nǐ shì Dōngdong ma?
　　Wǒ shì Dōngdong. Nǐ shì shuí?
Wǒ shì Díkè. Nǐ zài zuò shénme ne?
　　Wǒ zài zuò suànshù ne, nǐ ne?
Wǒ zài xiě Hànzì ne.
Wǔdiǎn wǒmen tī (kick, play) zúqiú
(football), hǎo ma?
　　Tài (too, very) hǎo le.
Zàijiàn!
　　Zàijiàn!

LOOK AND SAY

他在做什么呢?

SAY WHAT'S WRONG IN THE PICTURE

CROSS OUT THE WRONG CHARACTERS

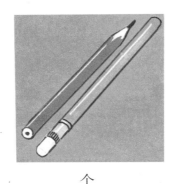

个
一件毛衣
支

个
两件笔
支

个
三件鸡蛋
支

PUT IN THE MISSING CHARACTERS

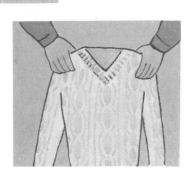

我不要＿＿。

＿＿＿＿在哪儿?

这是我的＿＿。

33

16 他们在跳舞呢

他们在玩儿吗？
Are they playing?

Tāmen zài wánr ma?

不，他们在跳舞呢。
No, they are dancing.

Bù, tāmen zài tiàowǔ ne.

他们跳得好吗？
Do they dance well?

Tāmen tiàode hǎo ma?

他们跳得真好。
Yes, they dance very well.

Tāmen tiàode zhēn hǎo.

你们喜欢跳舞吗？
Do you like dancing?

Nǐmen xǐhuān tiàowǔ ma?

我们喜欢跳舞，我们跳得不好。
Yes, we do, but we don't dance well.

Wǒmen xǐhuān tiàowǔ, wǒmen tiàode bù hǎo.

他们	they, them	玩儿	to play	得	structural particle
tāmen		wánr		de	
你们	you (pl.)	跳舞	to dance	喜欢	to like
nǐmen		tiàowǔ		xǐhuān	

READ ALOUD

Nǐ zài zuò shénme ne?
  Wǒ zài kàn diànshì (T.V.).
  Nǐ xǐhuān kàn diànshì ma?
Wǒ xǐhuān kàn diànshì.
  Kuài lái kàn,
    zhè shì Běijīng Tiān'ānmén,
    zhè shì Chángchéng.
    Tāmen zài pá (climb) Chángchéng ne.
    Tāmen páde zhēn kuài.
    Tāmen wánrde zhēn hǎo.

LOOK AND SAY

他在＿＿＿。　　　　　　　　你喜欢＿＿＿？

17　兰兰唱歌唱得很好

兰兰唱歌唱得好吗？
Does Lanlan sing well?

Lánlan chànggēr chàngde hǎo ma?

她唱歌唱得很好。
Yes, she does.

Tā chànggē chàngde hěn hǎo.

芳子写汉字写得多吗？
Does Fangzi write many Chinese characters?

Fāngzǐ xiě Hànzì xiěde duō ma?

她写得很多。
Yes, she does.

Tā xiěde hěn duō.

玛丽说汉语说得对吗？
Does Mary speak Chinese properly?

Mǎlì shuō Hànyǔ shuōde duì ma?

她说得很对。
Yes, she does.

Tā shuōde hěn duì.

他们都是好孩子。
They are all good children.

Tāmen dōushì hǎo háizi.

兰兰 *name of a person* Lánlan	多 many, much duō	都 all dōu
唱歌 to sing chànggēr	说 to speak shuō	孩子 child háizi
很 very hěn	对 right, proper duì	

READ ALOUD

Mǎlì hěn xǐhuān Hànyǔ. Tā huì shuō Hànyǔ, yě huì xiě Hànzì. Jīntiān shì Xīngqī'èr, tāmen yǒu Hànyǔ kè. Mǎlì láide hěn zǎo. Nǐ kàn, lǎoshī zài jiāo tāmen ne. Lǎoshī jiāode hěn hǎo, tāmen yě xuéde hěn hǎo. Mǎlì zài xiě Hànzì ne, tā xiěde hěn kuài, yě hěn hǎo.

LOOK AND SAY

他__得__。

18 这是娃娃的小屋子

芳子, 这是谁的小屋子？
Whose little house is this, Fangzi?

Fāngzǐ, zhè shì shuíde xiǎo wūzi?

这是娃娃的小屋子。
It's doll's house.

Zhè shì wáwade xiǎo wūzi.

屋子里边有什么？
What's in the house?

Wūzi lǐbianr yǒu shénme?

屋子里边有娃娃的床和桌子。
The doll's bed and table are in the house.

Wūzi lǐbianr yǒu wáwade chuáng hé zhuōzi.

屋子外边有什么？
What's outside the house?

Wūzi wàibianr yǒu shénme?

屋子外边有两棵小树。
There are two small trees outside.

Wūzi wàibianr yǒu liǎng kē xiǎo shù.

娃娃 wáwa	doll	床 chuáng	bed	棵 kē	*measure word*
屋子 wūzi	house	桌子 zhuōzi	table		
里边 lǐbianr	inside	外边 wàibianr	outside		

READ ALOUD

Zhè shì shuíde fángjiān (room)?

Zhè shì wǒ hé dìdide fángjiān.

Fángjiān lǐbianr yǒu shénme?

Fángjiān lǐbianr yǒu chuáng, zhuōzi hé yǐzi.

Fángjiān lǐbianr yǒu huār ma?

Yǒu, huār zài zhèr.

Zhè ge fángjiān hǎo ma?

Zhè ge fángjiān zhēn hǎo.

LOOK AND SAY

(guìzi, wardrobe)

屋子里边＿＿。

柜子里边＿＿。

19　小树下边是小狗花花

小树上边有什么?
What is there on the tree?

Xiǎoshù shàngbianr yǒu shénme?

小树上边有一只小鸟。
There is a little bird on the tree.

Xiǎoshù shàngbianr yǒu yì zhī xiǎoniǎo.

小鸟唱歌唱得真好。
It is singing. It is singing so beautifully.

Xiǎoniǎo chànggēr chàngde zhēn hǎo.

小树下边是什么?
What's under the tree?

Xiǎoshù xiàbianr shì shénme?

小树下边是小狗花花。
There is the little dog, Huahua.

Xiǎoshù xiàbianr shì xiǎogǒu Huāhua.

娃娃在哪儿?
Where is the doll?

Wáwa zài nar?

娃娃在屋子前边。
She is in front of the house.

Wáwa zài wūzi qiánbianr.

她在看《儿童汉语》。
She is reading "CHINESE FOR CHILDREN."

Tā zài kàn «ÉRTÓNG HÀNYǓ».

下边 below, under
xiàbianr

上边 top, above
shàngbianr

鸟 bird
niǎo

狗 dog
gǒu

只 *measure word*
zhī

前边 front, in front
qiánbianr

READ ALOUD

Zhèzhāng huàr zhēn hǎo.

Shàngbianr shì shénme?

Shàngbianr shì yuèliang, yún hé xīngxing.

Xiàbianr shì shénme?

Xiàbianr shì sēnlín hé wūzi.

Wǒde píqiú zài nǎr?

Nǐde píqiú zài zhuōshang.

Zhuōshang méi yǒu píqiú.

Nǐ kàn chuáng xiàbianr shì shénme?

Nà shì wǒde píqiú. Xièxie.

LOOK AND SAY

床上＿＿。

桌上＿＿。

屋子后边＿＿。

天安门前边＿＿。

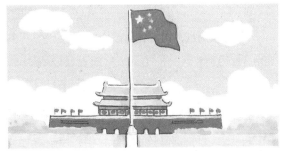

20 这是什么

冬冬，这是什么？
What is this, Dongdong?

Dōngdong, zhè shì shénme?

"头上两只角，
"Two horns on top of its head,

"Tóu shang liǎng zhī jiǎo,

身上有白毛，
Its body is covered in white hair.

shēn shang yǒu bái máo,

看见人，miēmiē叫，
Bleating baa, baa on seeing people.

kànjian rén, miēmiē jiào,

最喜欢，吃青草。"
Its favourite food, green grass."

zuì xǐhuān, chī qīngcǎo."

这是小白兔，对吗？
This is a little white rabbit, right?

Zhè shì xiǎobáitù, duì ma?

不对，不对。
No, It's not.

Bú duì, bú duì.

是羊。
It's a sheep.

Shì yáng.

对了。
Right.

Duìle.

头　head tóu	毛　wool, hair máo	最　most zuì
角　horn jiǎo	看见　to see kànjian	青草　green grass qīngcǎo
身　body shēn	叫　to bleat, jiào　　to call	羊　sheep yáng

Dōngdong zuì xǐhuan zuò shénme?
Dōngdong zuì xǐhuan huà xiǎobáitù.

Fāngzǐ zuì xǐhuan wánr shénme?
Fāngzǐ zuì xǐhuan wánr wáwa.
Wáwa shēn shang chuān shénme?
Wáwa shēn shang chuān hóng qúnzi.
Wáwa jiǎo shang chuān shénme?
Wáwa jiǎo shang chuān hóng xiézi.

LOOK AND SAY

他最喜欢做什么？

她最喜欢做什么？

她们最喜欢做什么？

他们最喜欢做什么？

WRITE DOWN THE NUMBER THAT FITS THE PICTURE

(   )   (   )

(   )   (   )

1. 她跳舞跳得很好。

2. 他游泳游得不好。

3. 她唱歌唱得不好。

4. 他写汉字写得很好。

PUT IN THE MISSING CHARACTERS

屋子____有一棵树。

树____有苹果。

树____有桌子。

妹妹在屋____呢。

小狗在____。

VOCABULARY LIST

A

阿姨　āyí　auntie

B

八　bā　eight
爸爸　bàba　dad, father
白　bái　white
半　bàn　half
笔　bǐ　pen
伯伯　bóbo　uncle

C

唱歌　chànggēr　to sing
吃　chī　to eat
穿　chuān　to wear
床　chuáng　bed

D

得　de　*structural particle*

点　diǎn　o'clock
冬冬　Dōngdong
name of a person
都　dōu　all
对　duì
right, proper, correct
多　duō　many, much

E

儿童　értóng　children
二　èr　two

F

芳子　Fāngzǐ
name of a person

G

个　gè　*measure word*
狗　gǒu　dog

国　guó　country

H

孩子　háizi　child

汉字　Hànzì

Chinese character

号　hào

day of the month

和　hé　and

黑　hēi　black

很　hěn　very

红　hóng　red

滑冰　huábīng　to skate

画　huà　to draw, to paint

会　huì　can, be able

J

鸡蛋　jīdàn　egg

几　jǐ　how many

件　jiàn　*measure word*

教　jiāo　to teach

角　jiǎo　horn

叫　jiào　to call

叫　jiào　to bleat

今天　jīntiān　today

九　jiǔ　nine

K

看见　kànjian　to see

棵　kē　*measure word*

课　kè　class, lesson

快　kuài　quick, fast

L

来　lái　to come

兰兰　Lánlan

name of a person

懒　lǎn　lazy

冷　lěng　cold

里边　lǐbianr　inside

两　　liǎng　　two
六　　liù　　six
绿　　lǜ　　green

M

玛丽　　Mǎlì

　　　　name of a person

毛　　máo　　wool, hair
毛衣　　máoyī

　　　　woollen sweater

名字　　míngzi　　name

N

哪　　nǎ　　which, what
哪儿　　nǎr　　where
那儿　　nàr　　there
呢　　ne　　*modal particle*
你们　　nǐmen　　you (pl.)
鸟　　niǎo　　bird
牛奶　　niúnǎi　　milk

P

拍　　pāi　　to bounce

Q

七　　qī　　seven
起床　　qǐchuáng　　to get up
前边　　qiánbianr

　　　　front, before

青草　　qīngcǎo

　　　　green grass

去　　qù　　to go

R

人　　rén　　person
日本　　Rìběn　　Japan
日本人　　Rìběnrén　　Japanese

S

三　　sān　　three
上边　　shàngbianr　　top, above
身　　shēn　　body

生日	shēngri	birthday
十	shí	ten
谁	shuí	who
说	shuō	to speak
四	sì	four
算术	suànshù	arithmetic
岁	suì	year (of age)

T

他们	tāmen	they, them
跳舞	tiàowǔ	to dance
头	tóu	head
兔	tù	rabbit

W

娃娃	wáwa	doll
外边	wàibianr	outside
玩儿	wánr	to play
屋子	wūzi	house
五	wǔ	five

X

喜欢	xǐhuan	to like
下边	xiàbianr	below, under
先	xiān	first
想	xiǎng	to want, to think
小	xiǎo	little, small
写	xiě	to write
星期	xīngqī	week
学校	xuéxiào	school

Y

羊	yáng	sheep
也	yě	also, too
一	yī	one
游泳	yóuyǒng	to swim
月	yuè	month

Z

在	zài	to be (at a place)
早	zǎo	morning, early

这儿	zhèr	here
真	zhēn	very, really
支	zhī	*measure word*
只	zhī	*measure word*
中国人	Zhōngguó rén	Chinese
最	zuì	most
桌子	zhuōzi	table
做	zuò	to do

辅导材料

第二课

"你几岁了？"只能用于儿童之间或成人问小孩。回答是："我－岁(了)。"问成人的年龄应该说："您多大年纪？"

第三课

1．"你是哪国人？"用来询问国籍。一般在国名后加上"人"就表示某国人。如"中国人""日本人""美国人""法国人"等。

2．"她也是中国人吗？"副词"也"必须放在主语之后,动词或形容词的前边。

第五课

1．"……,好吗？"常用来提出建议,征求对方的意见。"好吗"前边的部分是一个陈述句。

2．10-20的称数法：十、十一、十二、十三、十四、十五、十六、十七、十八、十九、二十。

第六课

1．"早"是早晨(八、九点钟以前)的问好用语。回答也是"……早"。如"你早！""妈妈早！"

2．表示钟点的整数,则用一点、两点、三点、四点……十点、十一点、十二点。注意：2:00不说"二点",必须说"两点"("两"字将在第十二课学)。

本课可补充："快……点了"意思是"nearly...o'clock""……点多了"意思是"after...o'clock"。

3．"快起床"是命令句。注意：汉语的状语一定要放在它所修饰的动词或形容词前边,不能说"起床快"。

第七课

1．"我七点半起床。"注意：表示时间的词语(七点半)作状语时不能放在句子的最后,不能说"我起床七点半"。

2．表示"half past…",用"……点半"。

3．"你呢？"是口语中常用的省略疑问句,意思是"What about you?"或"And you?"从上下文可以知道所问的意思。

4．"你真懒。"这里"真"用来强调后边的谓语形容词,口语里常用,如"真好"、"真早"。

第八课

1．"今天是几号？"用来问日期,回答可以说"今天是十五号"或"今天是二月十五号"。

汉语十二个月的名称是：一月、二月、三月、四月、五月、六月、七月、八月、九月、十月、十一月、十二月。

2．一百以内的称数法：

一、二、三、四、五、六、七、八、九、十

十一、十二、……十九、二十

二十一、二十二、……二十九、三十

三十一……四十……八十一……九十九

第九课

"今天是星期几"用来问星期。

一星期七天的名称是：星期一、星期二、星期三、星期四、星期五、星期六、星期天。

第十课

"我的书包在哪儿？"说明主语（某一事或人）的位置必须用动词"在"，即"名词＋在＋位置"。不能说"我的书包是哪儿？"陈述句的句型也一样。

第十一课

"我吃一个苹果，好吗？"现代汉语里数词一般不能直接放在名词前作定语，中间必须加量词，即"数词＋量词＋名词"。名词都有自己特定的量词，不能随便用。"个"是用得最多的量词。

在以前学过的名词中，"个"可以跟下列名词搭配：

人、工人、农民、老师、姐姐、妹妹、哥哥、弟弟、阿姨、伯伯、叔叔、娃娃、机器人。

鼻子。

苹果、梨、面包、馒头、鸡蛋。

书包、皮球、学校。

第十二课

1．"两件毛衣"，量词"件"可跟"毛衣""衣服"搭配（但不能跟"裤子""裙子"等搭配）。

2．"二"和"两"都表示"2"，在量词前一般不用"二"而用"两"，如"两点"、"两件毛衣"、"两个鸡蛋"。（但在"十"以上的数目中的"2"，不管后边有没有量词都用"二"，不用"两"，如"十二点"，"二十件衣服"。）

3．"我穿了两件毛衣。"这里"了"表示"穿"的动作已经完成了，本课暂不重点练这个句型。

第十三课

"你会游泳吗？""会"一般表示通过学习掌握的某种技能，所以不能说："你会吃五个面包。"

第十四课

1．"这支笔"，"笔"的量词是"支"。"这"、"那"跟它们所修饰的名词之间也要用量词。如"这件毛衣"，"那个苹果"。

2．"这支笔是我的。"这里"我的"表示"mine"的意思，也可以说"老师的""冬冬的”。

3．“这支笔是红的。”不能说“这支笔是红。”

第十五课

“你在做什么呢？”“在＋动词＋呢”表示一个动作正在进行。

第十六课

1．“我”“你”“他”“她”的复数形式分别是“我们”“你们”“他们”“她们”。

2．“他们跳得真好。”“我们跳得不好。”这里“动词＋得＋形容词”表示一个动作(如跳舞)所达到的程度，或做得怎么样(如“好”“不好”“快”“不快”等)。

第十七课

1．“兰兰唱歌唱得好”，“芳子写汉字写得多”，“玛丽说汉语说得对”，在说明动作所达到的程度的句子里，如果动词后边还带有宾语(“歌”“画儿”“汉字”“汉语”)必须先重复一下动词，再加“得”，即“动词＋宾语＋动词＋得＋形容词”。

2．副词“都”和“也”一样，必须放在主语之后，动词或形容词之前。

第十八课

“屋子里边有什么？”表示某一方位或处所存在着什么(人或物)，常用动词“有”，句子结构是：“方位或处所＋有＋存在的人或物”。如“屋子外边有一棵小树。”

第十九课

1．“小树下边是小狗花花。”表示某一方位或处所存在的人或物如果是确指的，动词就不能用“有”，而用“是”。如：只能说“小树下边是一只狗”，不能说“小树下边有一只狗”，也不能说“小树下边有那只狗”。

2．“屋子里边”、“桌子上边”、“床上边”、“树下边”、“树上边”常简化为“屋里”、“桌上”、“床上”、“树下”、“树上”。

3．量词“只”可用于下列名词：

狗、猫、鸟、白兔、熊猫。

耳朵、眼睛、手、脚。

手套儿、鞋。

第二十课

“最喜欢吃青草。”副词“最”常放在形容词和某些动词前表示比较的最高级。

TEACHER'S NOTES

Lesson 2

"你几岁了？" can only be used among children to ask about each other's age, or by adults to ask about children's age. The answer is: "我……岁（了）" "您多大年纪？" is used of adults.

Lesson 3

1. "你是哪国人？" is used to ask about one's nationality. To express a person's nationality, the character "人" is added after the name of a country, e.g. "中国人" (Chinese), "日本人" (Japanese), "美国人" (American) and "法国人" (French), etc.

2. In "她也是中国人吗？", the adverb '也' should be placed after the subject and before the verb or adjective.

Lesson 5

1. "…，好吗？" is often used to make a request or suggestion.

2. In Chinese the numbers 10 to 20 are as follows:

   "十，十一，十二，十三，十四，… 十九，二十"。

Lesson 6

1. "…早！" is a common greeting used before eight or nine o'clock in the morning. The reply to it is also "…早"，e.g. "你早"，"妈妈早"

2. Hours on the clock in Chinese are expressed thus: "一点"(1:00)"两点"(2:00)"三点"(3:00)"四点"(4:00) … "十点"(10:00)"十一点"(11:00)"十二点"(12:00)。 Notice that instead of "二点"(erdian), we say "两点" (liangdian). The word "两" will be dealt with in Lesson 12.

   In this lesson, "快…点了" (nearly ... o'clock) and "…点多了" (after.... o'clock) may also be introduced to the children.

3. "快起床！" is an imperative sentence. Notice that in Chinese the adverb should precede the verb or adjective it modifies.

Lesson 7

1. Pay attention to the word order in the sentence "我七点半起床". Phrases denoting a point in time should never be put at the end of a sentence. It is wrong to say, "我起床七点半"

2. To express "half past ... ", the phrase "…点半" is used.

3. "你呢？" is an elliptical question often used in colloquial speech, meaning "What about you？"or "And you？".

4. "真" is used in colloquial Chinese to emphasize the predicative adjective after it, e.g. "你真懒"，"真好"，"真早".

Lesson 8

1. "今天是几号？" is used to ask about the date. The answer should either be "今天是十五号" or "今天是二月十五号".

In Chinese the names of the months of the year are: "一月，二月，三月，四月，五月，六月，七月，八月，九月，十月，十一月，十二月。"

2. Numbers under 100 are expressed thus:

一，二，三，…九，十，

十一，十二，十三，…十九，二十，

二十一，二十二，二十三，…二十九，三十，

三十一，三十二，…四十，…八十一，…九十九.

Lesson 9

"今天是星期几？" is used to ask about the day of the week. The names of the days of the week are:"星期一 (Monday)，星期二，星期三，星期四，星期五，星期六，星期天。"

Lesson 10

To explain the position of the subject (something or somebody), we must use the verb 在 as in the following pattern "N + 在 + position",e.g. "你的书包在这儿". Questions about position follow the same pattern, e.g. "我的书包在哪儿？". We cannot say "我的书包是哪儿？"

Lesson 11

In"我吃一个苹果，好吗？"，"个" is a measure word (counter). In modern Chinese a numeral can not be placed directly before a noun as an attributive. A measure word should be inserted between the numeral and the noun, following this pattern:'numeral + measure word + noun', e.g. "一个苹果". Every noun has its fixed measure word. Of all the measure words"个" is the most commonly used. "个" can be used with the following nouns (those that have been learned so far):

人，工人，农民，老师，姐姐，妹妹，哥哥，弟弟，阿姨，伯伯，叔叔，娃娃，机器人。

鼻子。

苹果，梨，面包，馒头，鸡蛋。

书包，皮球，学校。

Lesson 12

1. The measure word "件" can be used with "毛衣"，"衣服"，e.g. "两件毛衣"，but can not be used with "裤子"，"裙子" etc.

2. "两" is used to express "two" before a measure word, e.g. "两点", "两件衣服", "两个鸡蛋" (not "二点""二件衣服" etc.)
Compound numerals involving "two" (twelve, twenty etc.) do not involve the use of "两", but instead take 二, e.g. "十二点"; "二十件衣服".

3. In the sentence "我穿了两件毛衣", "了" expresses the completion of the action "穿" This will be dealt with in Book Ⅲ.

Lesson 13

In "你会游泳吗? ", "会" here meaning "to know how to", or "can", denotes skills acquired or mastered as a result of study. So it is wrong to say, "你会吃五个面包吗? ".

Lesson 14

1. The measure word, or classifier, is particular to Chinese. Different classes of nouns should take different measure words.
"这支笔" means "this pen" or "the pen". "支" is a measure word for "笔". A measure word should be placed between the word "这", "那", and the noun it modifies, e.g. "这件毛衣", "那个苹果".

2. In "这支笔是我的", "我的" means "mine". The particle "的" can be used after a pronoun or a noun to show possession. e.g. "他的", "老师的", "冬冬的".

3. 的 often follows the adjective and precedes the noun (adj.＋的＋N.) When the noun concerned precedes the adjective as a subject or is understood, the adjective still retains the 的, e.g.

这是一支红的笔。
这支笔是红的。
We never say: "这枝笔是红".

4. 的 in the above cases is a structural particle, which means that 的 helps, and is necessary, to form a certain construction.

Lesson 15

"你在做什么呢? " means "What are you doing? ". The pattern:"在＋verb＋呢" indicates that the action denoted by the verb is going on.

Lesson 16

1. The plural form of "我", "你", "他" and "她" are "我们", "你们", "他们" and "她们".

2．In "他们跳得真好" or "我们跳得不好", the pattern "verb + 得 + (不) adjective" indicates the degree or extent of the quality or character of the action denoted by the verb, or how it has been done, e.g. "好","不好","快","不快", etc.

Lesson 17

1. In sentences indicating the degree or extent of the quality or character of an action, when the verb takes an object, the verb must be repeated before "得", following this pattern:"verb + object + repeated + 得 + adjective", e.g. "兰兰唱歌唱得好","芳子写汉字写得多","玛丽说汉语说得对".

2．Like "也", the adverb "都" should also be placed after the subject and before the verb or adjective in a sentence.

Lesson 18

The verb "有" is often used to indicate that something or somebody exists in a position or place. The pattern of this type of sentences is: "position or location + 有 + persons or things that exist", e.g. "屋子里边有什么？""屋子外边有一棵小树。"

Lessson 19

1. The verb "是" can also be used to indicate existence. When the thing or person that exists is definite, the verb "是", instead of "有", should be used. So "Little dog Huahua is under the little tree." should be "小树下边是小狗花花", not "小树下边有小狗花花". It is wrong to say "小树下边有那只狗", though it is possible to say "小树下边有一只小狗".

2. "屋子里边","桌子上边","床上边","树下边","树上边" can be simplified respectively as "屋里","桌上","床上","树下","树上".

3．The measure word "只" can be used together with such nouns as:
狗，猫，鸟，白兔，熊猫。
耳朵，眼睛，手，脚。
手套儿，鞋。

Lesson 20

The adverb "最" is often used before an adjective or some verbs to express the superlative degree, e.g. "最喜欢" means "to like most".